MW00774670

María Roxana Muñoz

LA VIDA ES POESÍA

RIMAS PARA EL ALMA

©Maria Roxana Muñoz
La vida es poesía
Rimas para el alma

Colección: Poesía
Primera edición
Chile
Mayo 2017

ISBN 978-956-368-899-3
Registro de propiedad intelectual N° A- 279320

Portada y maquetación: Lector Cero

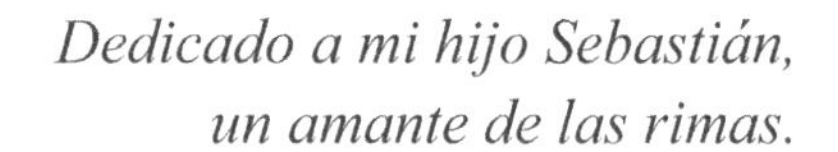

Dedicado a mi hijo Sebastián,
un amante de las rimas.

Estimado lector(a):

La vida es como una melodía, con notas altas y bajas, con un ritmo rápido y lento. Solo debes fluir, como el ave con el viento, como el pez que se deja llevar por la corriente. Ellos nada fuerzan, viven plenamente.
Rimas para el alma de La vida es poesía, te lleva por ese oleaje, por este matiz de letras, entre sentimientos y emociones, donde te encontrarás con la persona más importante: tú mismo (a).

Un abrazo,
María Roxana Muñoz

ÍNDICE

Mi reflejo

Te vi en mi reflejo,
aquel que miro a diario,
donde percibo tus huellas,
aquellas de un pasado
que se aferran a un adiós.
Te vi en mi desvelo,
el de las noches oscuras,
donde la amargura se
hace presente desde
el torrente de mi insomnio.
Te miro a lo lejos,
engañando a mis ojos,
simulando abrazar tu
silueta desnuda, menuda
y discreta desolación.
Como la voz de una
garganta herida,
pasiva y silente, buscando ser
escuchada.

Con versos te cubriré

Con versos cubriré
la ausencia de mis noches,
y los reproches se irán durmiendo
sobre un desvelo de ansiedades.
Derramaré soledades
en el abismo incandescente,
donde la aurora se viste
para salir cada mañana.
Y será la campana
que repica a lo lejos,
la que nos dé un bosquejo
de este amor naciente.
Esperaré hasta verte
entre las sombras que aúllan,
en la estrechez del olvido,
en la brillantez de la luna.
Y una a una las esperanzas renacen,
al tenernos cerca, cuando nuestras
almas se abracen.

Me pierdo

Me pierdo en la distancia
de tu invierno,
bajo una lluvia de circunstancias,
donde se eleva la nostalgia
sobre montañas serenas.
Y la luz que resuena
como el viento en primavera,
las rosas son testigo
de esta alma en pena.
Cómo quema la ausencia,
de esa lágrima errante,
que perdida en tus ojos
hoy quiero buscar.
Voy a naufragar, adentrarme en tu mirada,
y encontrar en tu almohada
un bello anochecer.

El viento sopla

El viento sopla con la fuerza
de un corazón enamorado,
que alborotado
danza entre las hojas,
alzándolas y dejándolas caer.
Desdichado entre recuerdos,
desordena soledades,
inunda melancolías,
arrastra abandono, y
sentado en su trono
el tiempo se deja envolver.
De la mano del otoño
pasea por ciudades,
relata tempestades,
y deja la lluvia pasar.
Cansado el caminante
se cuela entre las manos,
acaricia mi cabello
y se dispone a partir.

Despojada de rencores

Despojada de rencores,
la vida fluye hacia amores
al compás del corazón,
donde la emoción
de un cálido beso
es fiel reflejo de mí.
El espejo de tus ojos
me ha mostrado mis ausencias,
caricias de elocuencias
de locura pasajera.
En la espera de un «te amo»,
mi alma en pena ha quedado,
noches sin dormir.
Con los hilos del silencio
un manto pretendo urdir,
arroparme en tus encantos
junto al canto de la luna,
adosarme a tu figura
y dejarme dormir.

Llueve

Llueve, y mi corazón
no tiene refugio, mi alma
empapada de nostalgia
busca tu nombre entre nubes
dispersas de letras.
Te escribo, y mi tinta exhausta
de palabras derrochadas,
busca en la alborada
los versos que te hice,
con trazos mi pluma
intenta plasmarte.
Te siento, y la melancolía
deja huella en mi aliento,
como el viento esboza tristezas,
entre sombras de abrazos olvidados.
Amanece, y tu ausencia se desvanece
como el aroma de un jazmín,
un ir y venir de ausencias desgastadas
dispuestas a volar otra vez.

¿Qué es la vida?

¿Qué es la vida sino
un despertar de la muerte?
Caminar un paisaje
creado en el momento,
tan solo un cuento
escrito a la medida.
Una hoja en blanco
esperando ser leyenda,
iluminar una senda
donde otros ya pasaron.
Un lugar donde cantaron
las voces más dulces,
melodías no escritas,
esperando su encuentro.
Libertad despojada de un cuerpo,
puerto seguro
donde el
alma puede zarpar.
La vida sigue su andar,
aunque el destino se oculte
en las tinieblas,
así es ella,
jamás se rinde.

Derramaré mis versos

Derramaré mis versos
sobre tu torso desnudo,
y fluirán al ritmo del momento,
hasta ser uno con el todo,
llevados por el viento.
Hasta ser sed del agua
saciada de nostalgia,
hasta ser libertad en un mundo en soledad.
Escribiré sobre el retrato
de una noche vivida,
de la huida del sol
en un rojo atardecer.
Buscaré en el placer
el significado del cuerpo,
y detendré el tiempo
segundo a segundo.
Me fundiré en lo profundo
de los recuerdos plasmados,
que la lluvia ha grabado
en cada gota sus letras.
Déjame que te ofrezca
lo que nace de una caricia,
de una mano que aprecia
una piel desnuda.

Viajemos juntos

Viaja a mi lado,
recorramos juntos este camino,
dejaremos huella sobre el destino,
testigo de la emoción
que se aferra
al corazón.
Seremos la belleza del paisaje,
el ropaje de una senda abandonada,
distorsionada por el tiempo,
viendo las almas pasar.
Vivir como gotas de rocío,
abrazados en el frío,
protegidos por el calor de nuestros cuerpos.
Aprovechar los momentos
que a solas nos da la vida,
no pensar en la partida,
que el camino nos espera.
Ser estela de un cometa errante,
que surca el universo,
sin pensar si sus versos
sobrevivirán.

Poesía desnuda

Poesía es vaciar el alma,
desnudar sentimientos,
transmitir momentos sublimes
que solo el corazón expresa
en cada latido.
Es el sonido del viento
que danza sobre el olvido,
el ruido de mil lamentos
en busca de auxilio.
Poesía es amar intensamente,
con lo fugaz, con lo eterno,
con lo sereno de un cielo
amante de las estrellas,
es tan bella, tan amable.
Es caricia perdida
en un manto de niebla,
es caminar descalza
sobre la hierba,
dejar huella palpitando
en el horizonte.
Ahí, donde alzo mi mano
y toco tu aura, donde espero
desde que nací.

Dice la luna

Me dijo la luna,
que tus silencios son míos,
y que la melodía de tus latidos
compone nuestra sinfonía,
como versos sobre el viento,
como violín enamorado
de unas bellas notas.
Me dijo que tus lágrimas
me pertenecen,
que engrandecen
el llanto amargo,
rosal de espinas rebeldes,
amor sollozando.
Yo sé que tu alma me busca,
y que me espera cada mañana,
en el rocío de la ventana
donde contemplo tu llegada.
En cada alborada,
con el canto de un suspiro,
medito cada sonido que tu música me trae.

Ese beso

Ese beso fue la conexión
entre tiempo y forma,
desde el alma al corazón,
y por alguna razón
traspasó
las distancias.
Navegando la arrogancia,
en los mares de emociones,
carcomiendo los rencores
de amores sin pasión.
Escalaré cada rincón
del poema aún no escrito,
escucharé cada grito
que me lance la nostalgia.
Volaré con la magia
de unos sueños imposibles,
y con las hojas del otoño
te compondré una canción.
Fue ese beso que unió
nuestros sentidos,
latido a latido
conquistó mi corazón.
Fue ese beso que en la forma
abrazó lo inseparable,
estos cuerpos que aún arden,
junto al fuego de un adiós.

Te dije adiós

Te dije adiós, y mis ojos
lloraron tu recuerdo,
el viento aun cuerdo
sopló nuestras hojas,
y el otoño guardó silencio.
Desde el invierno te contemplo,
bajo un manto frío y gris,
evocarán nuestras almas aquel beso,
donde dejamos de existir.
Surgirán nuestros momentos,
donde tu reflejo en mi mente esté,
se cumplirán olvidados sueños,
de los que fuimos dueños un atardecer.
Bajo el rojo crepúsculo de tu encanto,
tus palabras dieron vida a mi ser,
bajo el cielo que acompañó mi llanto,
hoy te busco otra vez.
Tal vez te encuentre
en una estrella perdida,
huyendo de lo que aún sientes,
y aunque quieras demostrarlo,
el amor no lo comprende.

Lágrimas errantes

Lágrimas errantes provocadas por tu ausencia,
sin la presencia de tu abrazo que florece,
tras las nubes aún llora mi corazón.
Sin la razón que dé consuelo,
sin el anhelo que cobije las sombras,
mi soledad aún te nombra,
desde el horizonte en la tempestad.
Bajo la lluvia de un cielo en pena,
tras la cruel condena de un adiós,
con los suspiros que a lo lejos suenan,
con la nostalgia de un perdón.
Perdida está mi tristeza,
desdibuja una canción,
con las letras peinaré tu existencia,
de melancolía vestiré una flor.
Del jardín cosecharé las espinas,
que clavadas aún siguen aquí,
volarán los pétalos en lo alto,
y cubrirán tu cabello por mí.

Mis silencios

Él desgarró mis silencios,
y con sus versos curó mis heridas,
aquellas infringidas por un lamento
huérfano en la oscuridad.
Liberó mi alma de una jaula de miedos,
convirtió mis anhelos en horizonte de sueños.
Escribió mi presente
con letras de esperanza,
aceptó mi pasado cubierto de nostalgia.
Me acompañó en el camino,
dejó huella en la ausencia,
abrazó mi presencia
con historias por contar.
Cautivó mi rebeldía
Con la humildad de una mirada,
una sonrisa callada,
que iluminó mis silencios.

En mis silencios

En mis silencios
albergo tus palabras,
poema de triste sentir
que abatida deja el alma,
oleaje en calma,
blanca espuma de abril.
Dejaré que mis sueños
acompañen tus noches,
y con sus voces el tiempo,
nos dará otra oportunidad.
En mi soledad
acariciaré tu recuerdo,
buscando ese encuentro
grabado en mi memoria.
El insomnio te añora,
te extraña y necesita,
sin ti el corazón palpita
solo por costumbre.
Desde la sombra lúgubre,
de un «te quiero» abandonado,
donde todo es pasado
buscando encontrarte,

Quiero disfrutar

Quiero lentamente disfrutar
el sabor de tus besos,
que el corazón
se sienta travieso
y mi cuerpo dance
con cada latido.
En el silbido de un viento
perdido, ver florecer
el cerezo en tus labios,
meditar el silencio
de un sabio,
donde encuentro refugio
a tu ausencia.
Ver la densa agonía marcharse,
junto al oscuro
lamento que fuerza.
No es un cuento
el que quiero contigo,
busco abrigo a mis
noches de invierno,
en lo eterno quedarme
a tu lado, y a tu mano
tomarme sin miedo.

Con el alma estrellada

Con el alma estrellada,
esta noche seré poesía,
y esa tristc agonía
que con su insomnio acechaba,
se irá con la alborada.
En esta velada
todo será verso,
con la tinta que corre
por mis venas,
en la cena nos beberemos
las letras, y embriagaremos
de rimas las penas.
Quiero ser prosa
que dé calor a tu pluma,
que me escribas hasta
perder la consciencia,
entre sombras cubiertas de bruma.
Inspiración de tus
sueños serenos,
tempestad que azota
tu alma,
ser caricia apaciguando
nostalgias, ser la musa
que ilumine tu brisa.

En soledad

La soledad tendida en la playa,
a orillas de un mar de emociones,
distantes los instantes vuelan.
Las olas rompen en llanto,
con lágrimas saladas,
gaviotas alborotadas
revuelan los encuentros.
Cada vez que te siento,
parece ser eterno,
momento que te escribo
en silencio y por completo.
Así como tu cuerpo
provoca mi inspiración,
con nuestra mejor versión
de un amor sincero,
aquí donde te espero
cada noche sin razón.

Interpretación

Interprétame con la melodía
del silencio,
poesía que solo tú escribes,
caricias orquestadas en la noche.
Enséñame el reproche
que llevas guardado,
déjame a tu lado componer
nuestras caricias,
llévame la brisa que
suspira con el viento.
Quiero ser tu aliento,
tu respiración,
solo una canción te pido que provoques.
Soy alma cada noche,
en las estrellas te espero,
quiero ser velero,
que navegue en tu océano.

Trazos de silencios

Trazos de silencios
marcan el camino,
circunstancias que marchan
en doble vía,
así es mi locura por ti.
Un viaje sin retorno,
conduciendo en tu memoria,
acariciando tu historia
gota a gota entre la lluvia.
Por las nubes me desplazo,
como un ave emigrando,
tratando de encontrarte,
buscando para amarte.
La distancia se me acerca
suplicando tu regreso,
y yo aquí solo rezo,
por volverte a ver.

Espacios vacíos

Espacios vacíos
divagan silencios,
perpetuo momento
de caricias soñadas,
junto a una almohada
que guarda secretos.
Tus palabras palpitan
en mi mente,
como hojas de otoño
se mecen con el viento,
y por un momento
me parece escucharte.
Busco tu sonrisa
en el horizonte,
donde el sol esconde su llanto,
en la libertad
de haber amado tanto.
Grises olvidos deambulan
en mi esperanza, perversa
añoranza de instantes vividos,
tristes latidos de un corazón
en calma.

El poeta

El poeta ve en lo profundo,
en lo moribundo del paisaje,
en el ropaje de unas letras,
donde nadie más puede ver.
En instantes que han partido,
en la sombra del olvido,
de palabras que han surgido,
en un día por llover.
Solo escribe sensaciones,
que provocan emociones,
en las vidas inmortales
profundizadas en un ser.
Solo huellas irreales,
en sus letras inmanentes,
lo que habla y enmudece,
con la tinta y un papel.
Sentimientos que florecen,
en otoño, en primavera,
un verano que no espera,
que el invierno se haga flor.

Letras moribundas

Letras moribundas en un
mundo de apegos,
versos de consuelo para una vida vacía,
en la lejanía de sentimientos
que vuelan.
Pálida mirada de luna menguante
oscuridad que acecha la voz
de un amante,
con largas cadenas de un
corazón danzante.
Melodía de un lamento
de un violín enamorado,
que por las noches ha llorado
sobre notas de silencio,
su talento se marchó
bajo la luz de un encuentro.

Encontrarte

Encontrarte en la esencia
de una rosa,
cuando el viento cruza
por mi alma,
buscando en la ausencia de una lágrima
tu reflejo.
En aquel espejo,
donde reviso mi vida,
donde tu partida sigue
impregnada en mi pelo,
con el desvelo del día
y la cruel agonía
de una noche a solas.
Donde las amapolas
han cubierto de llanto,
y con su manto de aroma
curaron mis heridas.
Ahí, donde la piel abatida
busca caricias perdidas.

Quiero ser

Quiero ser la piel
que abrigue tus deseos,
al ritmo de tus latidos
en el compás de la noche,
melodía que despoje
todos mis miedos.
Ser la sombra
que cobije tu descanso,
el canto que acompañe tus silencios,
déjame ser quien te brinde un abrazo solitario,
los sentimientos que guardas
en aquel viejo armario.
Quiero ser relicario
de tus rezos fervorosos
y, en un día de nostalgia,
curar tu corazón roto.

Escucha el silencio

Escucha el silencio,
ese que viene del corazón,
el que entrega perdón
y sana el alma,
el que me habla de ti
aunque ya no estés.
Siéntelo al cerrar los ojos,
al dejar el enojo envejecer,
búscalo en el andén de la vida,
y permite su salida
hacia un nuevo amanecer.
Que recorra tus sentidos,
como delicia palpitante,
encontrando lo inexplotable,
en palabras sin emitir.
Descubre su sentir,
sus pétalos aullantes,
que surja en los amantes
hasta invitarlos a dormir.

Refugio de sombras

Es la noche refugio de sombras
donde se ocultan soledades,
oscuridad que hace nostalgia,
pasión en profundidades.
Abismo buscando ser presencia,
como un eco en la tormenta,
con lágrimas que caen,
tras la lluvia en las ciudades.
Abandono en compañía
de una conversación silente,
donde brota melancolía,
donde se huye de lo inerte.
Estrellas que se ocultan,
de la luz de aquel cemento,
altos espectros duermen,
sin descansar en los sueños.
Al marcharse lo sereno,
cobran vida multitudes,
espejismos en lo urbano,
con espíritus ausentes.

En mis sueños

Mis sueños te recuerdan
a través del tiempo,
en ausencia
de las huellas floreciendo
en primavera.
Donde llueve inspiración
de palabras escritas,
con tinta que amerita
el cantar de mi sentir.
Ver el otoño teñir
de romance nuestras hojas,
y las siluetas se despojan
del orgullo pasajero.
Solo sé que te quiero,
y que olvidarte es un abismo,
donde el eco en la distancia
ya dejó de ser el mismo.

Oculta en mí

Oculta en mis pensamientos,
distante del acorde de mi voz,
donde el silencio refleja quién soy,
difusa caricia en flor.
Me encuentro a mí misma
en las notas de mi alma,
donde el silencio se calma,
me arrulla y me cobija.
Donde por una rendija
el sol simplemente se cuela,
como una gacela,
danzando sobre mí.
O tal vez como un corcel,
que cabalga orgulloso,
en un día lluvioso,
invitándome a salir.

Me enamoré

Así es.
Me enamoré
de tus silencios,
de los suspiros
que tu ausencia toca,
de tu boca cuando
me dijo adiós.
Son los besos que no
nos dimos fantasmas de mis noches,
un puñado de reproches
de deseos reprimidos.
Y serán mis pensamientos
los creadores del destino,
la huella de aquel camino
que me conduzca a tu mirada.

Tú eres

Es tu rostro serenidad
dibujada en los mares,
reflejo del oleaje de silencios,
sentimientos de espuma
que me envuelven,
otoño de encantos enjaulados,
que cantan alborotados,
pidiendo libertad.
Mirada Fugaz que se
pierde en lo abstracto,
lo mundano y silente
que camina sin mirar atrás.
Semblante de pasados perdidos,
de motivos furtivos
que busco callar.
La poesía que despierta mi alma,
el rocío del alba
que enamora al sol.
El calor de unos brazos
que esperan,
una piel canela,
en la que me quiero fundir.

Tu voz y mi nombre

Tu voz robusta pronunció mi nombre,
y mi corazón aceleró su paso,
en aquellas huellas
he dejado un beso,
y mi alma en aquel abrazo.
Tu semblante sereno
calmó mis latidos,
y el sonido del viento
en mi pelo se llevó el
desvelo que envolvía mi alma.
Tu mirada un oleaje
en la inmensidad del cielo,
eterno consuelo de sueños
confusos, mi melodía en
noches de ausencia.

Bésame con el alma

Bésame con el alma
que el cuerpo engaña,
que la luna extraña
esas voces danzantes,
ámame un instante
y hazme tu sombra.
Llévame en tu pecho
cuando respires,
en cada inspiración
de tu existir
quiero sentir la brisa
que exhalas en mi piel.
Como la tinta se derrama
en un papel.

Él es poesía

Él me llenó de poesía,
de historia, de fantasía,
y en su piel se mecía
el mundo, voz de un verso
vagabundo de amor.
Él es plena luz del día,
agonía de una realidad sublime,
el cuento que adormece mis ansias
y arropa mis sentidos.
Tal vez al leer sus labios
el silencio de la lluvia
pronunciaría mi nombre,
y en el alma de aquel hombre
anidaría mi mirada.

El tiempo

El tiempo sigue su curso
sin problema que lo distraiga,
sin esperanza que lo traiga
de regreso a su fuente.
Desapercibido y latente
en la oscuridad de la noche,
sin reproche se detiene
hacia el final de mi suerte.
Escalones va subiendo
mientras mi piel se desliza
entre el espacio de
circunstancias que vuelan.
El pasado no le importa,
hacia el futuro va corriendo,
se tropieza en el presente,
donde vivo en desconsuelo.
Semejanza con la lluvia,
para todos por igual,
nadie detiene su andar,
donde hemos de llegar.

Con la sonrisa del sol

Con la sonrisa del sol
cada mañana,
con el viento golpeando
mi ventana,
la vida se detiene un
momento a beber un café.
Desde el cielo, la lluvia
entre nubes observa,
en ella alberga el llanto
del mundo, en un azul
profundo de lágrimas transparentes.
Como el suelo inerte
sumido en la sequía,
esta alma mía sufre
al no verte,
entre la soledad paciente
y una nostalgia herida.

En ti encontré

En ti encontré la luz,
en una noche sin luna,
despejando la bruma en
mis ojos de otoño,
como un sueño que
desciende del cielo.
Seguida por un panal
de incertidumbres,
huyo hacia la cima
de mis circunstancias,
donde huelo la nostalgia
de los días no vividos.
Hoy en mi cama duerme
el recuerdo de dos cuerpos
entrelazados, danzando abrazados
en un ritmo constante,
esperando el amanecer.

Tu oscuridad

Veo en tu oscuridad,
como el suspiro de
un búho recorre la noche,
algo parecido a las sombras
que se ocultan en el ocaso
de tus miedos.
Lágrimas que se confunden
entre el llanto de una nube,
aquí te tuve junto al fuego
de mis besos,
donde hoy florece el cerezo.
No olvido la voz del silencio
en tu pelo, mientras mi
desvelo se agita con el viento,
no olvido lo que siento
cuando pienso en ti.

Desde el cambio

Desde el cambio que fluye
con la vida,
así, pasiva y lejos del miedo,
me dejo llevar, sin la
incertidumbre por el viento.
Buscaré en lo imposible
lamentos vacíos,
en ríos de piedra
donde alberga el alma
los secretos que no
la dejan ser.
Y en el aire dibujaré
tu nombre,
para respirarlo profundo y suave,
hasta que acabe el mundo
y el sol moribundo
derrita su luz.

Carece de sentido

Carece de sentido tu ausencia,
como quien piensa
una noche de luna,
enloquecido recuerdo
de una brisa oscura.
Buscando un desvelo
me encontré con tu nombre,
noble dicha que esconde
los silencios entre sus sienes.
Y desde dentro soy consciente
de la historia que acecha,
de la belleza de una pieza
sumida en una melodía errante.

Para qué

Para qué la distancia
si con tu ausencia basta,
esa presencia lejana
que mi almohada abraza,
una alborada que huye
de mí.
Tal vez he sido yo
quien no ha logrado verte,
sin conocerte, viviendo desde lejos,
dejé nuestro reflejo
para hacerlo solo mío.
Aún siento el vacío
que dejó ese último beso,
esperando un regreso
que nunca volverá,
en esta libertad
donde solo te pienso.

Mientras tu recuerdo

Mientras tu recuerdo
aún recorre mi mirada,
y la luz alborotada de una sombra tenue,
la espina que duele,
sigue clavando mis versos.
Y desde el desierto
de unas palabras hirientes,
en la fuente donde
las lágrimas lloran,
todo regresa para quien
lo ignora.
Son instantes que marcaron
mi alma, minutos que
avanzaron al compás de
mis latidos,
son sonidos que emergen
del silencio.
Y desde aquí contemplo
el espejo de tus ojos,
donde el alma revela
sus antojos,
dulces sueños que nacen
en el corazón.

Made in the USA
Las Vegas, NV
04 November 2024